EAT ME

テンカウント

10 count

rihito takarai

2

宝井理人

黒《くろ》瀬《せ》　陸《りく》

心療内科勤務のカウンセラー。城谷に、友人として
プライベートで助言する形でのカウンセリングを申し出た。

story

偶然知り合ったカウンセラーの黒瀬《くろせ》から、不潔恐怖症を克服するための個人的なカウンセリングを受けることになった城谷《しろたに》。ふたりは週に一度、黒瀬の職場近くのカフェで待ち合わせ、「曝露《ばくろ》反応妨害法」という療法を実践しはじめる。回を重ねるごとにふたりの心の距離も近づいてゆくが、ある日、突然黒瀬がしばらく中止しようと言い出す。ショックを受けつつも、他の人とも実践してみるようにという黒瀬の言葉に従い、会社の友人・三上《みかみ》に協力を頼む城谷。次に会う時は、今度こそ一緒に食事ができるように……そう思って頑張っていた矢先、偶然黒瀬と再会、一方的にカウンセリングの終了を告げられてしまい……？

曝露反応妨害法

「抵抗・不安がある行為」を「あえて行う」（＝曝露）と、その後手洗いなどの「強迫行為」を「あえてしない」（＝反応妨害）をセットで行う治療法。症状や環境等により実施方法はさまざまだが、黒瀬は、できそうなことから段階的に進めていくために、まず「抵抗がある行為」を抵抗の弱い順に１～10まで書き出させ、１からクリアしていくという方法をとった。

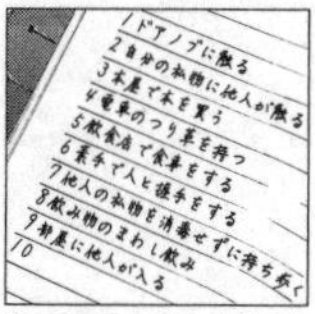

城谷の書き出したリスト

characters

三上《みかみ》

城谷と同じ会社の
同期の友人。営業部。
城谷の不潔恐怖症に理解がある。

倉本《くらもと》

城谷の会社の社長。
車にはねられそうなところを
黒瀬に助けられた。

城谷《しろたに》忠臣《ただおみ》

社長秘書。不潔恐怖症。外に出ると殆どの行為が不快。
黒瀬といると心臓のあたりがドキドキして気持ち悪い。

contents

テンカウント
count.07
最初で最後の握手にしましょう
ブーーッ
ブーー
着信
三上 健
20%

テンカウント
count. 07

留守番電話に接続します
通話
00:00:15
城谷《しろたに》
どうしたんだよ最近……
いつでもいいから連絡くれよ
はぁ・・
留守：1件
ピー

株式会社
東澤
tosawa
やっぱり電話にも出ないですね
そうか……
君からの連絡ならと思ったんだが……
ほかに城谷《しろたに》と親しそうな知人にも聞いてみましょうか
て言っても──
僕が知ってるのは黒瀬《くろせ》さんって方くらいで
連絡先も知らないんですけど……
え
黒瀬《くろせ》くん？

島田心療内
● 診療科目
心療内科・神経
診療時間 月 火 水 木
10:00~12:00 ○ ○ ○ ○
15:00~20:00 ○ ○ ○ ○
金曜日は第１・３週目の
ガチャン
ふぅ
ブーーッ
ブーー！

着信
未登録番号
……?
はい
もしもし
黒瀬《くろせ》さんの携帯ですか?
そうですが
どなたですか?
すみません いきなり知らない番号から……
僕は三上《みかみ》って言って
城谷《しろたに》の同僚です

えっ……？
この間カフェの前でお会いしましたよね
それで倉本《くらもと》社長からたまたま黒瀬《くろせ》さんの連絡先を聞いて
えっと……その経緯は一旦《いったん》省略しますが
今日電話したのは
城谷《しろたに》に黒瀬《くろせ》さんから連絡してもらえないかと思って
どうしてですか？
…………
通話
00:02:15
実は——
一週間くらい前から 城谷《しろたに》の様子がおかしくて……時々早退してたみたいなんですけど
二日前からついに欠勤してて電話にも出ないんです
そんなこと今までなかったのに

一週間前……
城谷《しろたに》、黒瀬《くろせ》さんには すごく心を開いてる ように見えたので
黒瀬《くろせ》さんから 話を聞いてやって くれませんか？
…それは…
三上《みかみ》さんの方が…
適任だと思います
三上《みかみ》さんの電話に 出ないのに 俺の電話に出るとは 思えません
……
…そうですか…
けど
この間カフェの 前で偶然会った時 城谷《しろたに》と握手して ましたよね？

何を話してたかは聞こえなかったんですけど……
あれを見てすごくびっくりしたんです
城谷《しろたに》がこんなに心を許してるんだって
でも城谷《しろたに》さん 最近
「握手や飲み物のまわし飲みはできるようになった」って言ってました
それは三上《みかみ》さんと…ってことですよね？
え
そうなんですか？
……それ
俺じゃないですよ
通話
00:06:45
まずは俺と出来るようにって頑張ってたみたいですけど
一度も出来てないですから

あの日も城谷《しろたに》が頼んで口をつけなかったコーヒーを俺が飲んだんです
飲食店もまだ苦手みたいですね
城谷《しろたに》が黒瀬《くろせ》さんのこと話す時は
何かすごく安心してるみたいなリラックスした様子だったので
やっぱり城谷《しろたに》は黒瀬《くろせ》さんのことすごく信頼してるんだと思います
連絡

してもらえませんか……？
編集
電話帳
20%
城谷忠臣
……
プ・プ・プ…
プツッ
おかけになった電話番号は現在電波の届かないところにあるか——
チッ

宛先：城谷 忠臣
件名：
話したい事があるので、この
メールを見たら連絡下さい。
送信
バタン…
はぁ…
城谷《しろたに》さん……

電源……
いつから落ちてるんだろう
そういえばもう何日も携帯見てない
会社から沢山《たくさん》着信がきてるんだろうな
そろそろクビになるか
ギッ…
もうとっくになってるかも
カチッ

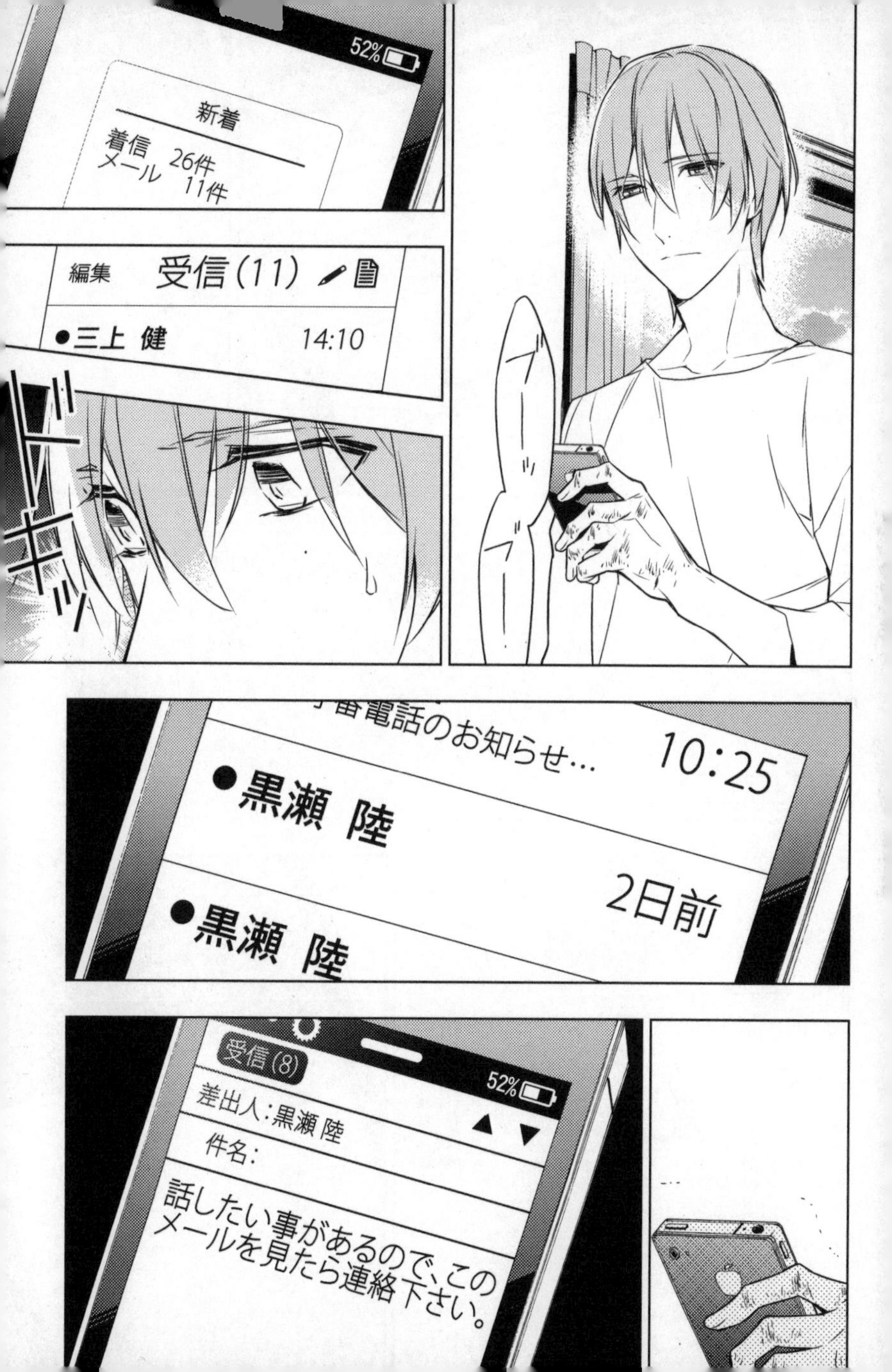

52%
新着
着信　26件
メール　11件
編集　受信(11)
●三上 健　14:10
番電話のお知らせ…　10:25
●黒瀬 陸
2日前
●黒瀬 陸
受信(8)
52%
差出人:黒瀬 陸
件名:
話したい事があるので、このメールを見たら連絡下さい。
…

1414
黒瀬 陸
2日
瀬 陸
4日前
健
5日前
受信(8)
52%
差出人:黒瀬 陸
件名:
今週の土曜　14時にいつものカフェに来て下さい。城谷さんが来るまでずっと待ってます。
……!
19:24
土曜日
土曜14時……
ドサ

黒瀬《くろせ》くん……
つくづく強引だ
「ずっと待ってます」
……待ってる訳ない
もう5時間も過ぎてる
待ってる訳ない！
はっ
はぁ

はっ
はあっ
はぁ
ぽっ
ぽっ
ぽっ
サー!
!

雨……
……っ
カラーン
カラーン

いらっしゃいませ
お一人さまで……
カツ
カツ
カツ
カツ…
はっ
はぁ
はぁ
はぁ

なんで……
なんでまだ待ってるんですか!?
……
なんであんなメール送ってくるんですか！
俺を……っ
これ以上かき混ぜないでくださいよ！
——……
城谷《しろたに》さん……
はぁ
ポタ
はぁ…

城谷《しろたに》さん…… 雨……
大丈夫なんですか？
……大丈夫なわけないでしょう
何の細菌がつくかもわからないし最低な気分ですよ
でもあなたが
こんな風に待ってるから……っ！
俺は…どうしても城谷《しろたに》さんに謝りたくて
はぁ
謝ってほしくなんかない
もう電話もメールもしないでくださいそれで俺を

黒瀬《くろせ》くんと会う前の
元の状態に戻してください
……………
それだけ言いに来ました
さようなら

城谷《しろたに》さん
ガチャッ
カラン
カラン
――…
はぁ…
IC CARD

はぁ
謝ってほしくなんかない
もう電話もメールもしないでください それで俺を
はぁ
黒瀬《くろせ》くんと会う前の
元の状態に戻してください
テンカウント
count.08
さようなら
城谷《しろたに》さん
IC CARD

テンカウント
count.08

はぁ
はぁ
はぁ
黒瀬《くろせ》くん……
呆《あき》れた顔してた……
当たり前だ
はぁ
……?
あれ
これでもう――
本当に会うこともないだろう……

ICカード…。
え
あれ
ど
どこかに落とした……!?
広
暗
はぁぁぁ…
何……
やってるんだ俺……
慌《あわ》てて出てきたから財布《さいふ》すら持ってない……

ぐっ
バサ
もえるゴミ
気持ち悪いっ……
服
早く全部捨てたい
ザク
ザク
興奮してて
気がつかなかったけど
急に体冷えてきた……
えっと
こういう時……
どうやって帰れば
いいんだったかな……

城谷《しろたに》さん
黒瀬《くろせ》くん――
は
はぁ
ああ　もう…
だから
どうしてまた
追いかけてくるん
ですか

これ
城谷《しろたに》さんの……ですよね
カフェに落としてました
……さっき
あれだけ啖呵《たんか》きったのに
どんな顔すればいいんですか……
……
……
城谷《しろたに》さんが怒ってるのは
俺が無責任に突き放して
城谷《しろたに》さんを遠ざけるようなこと言ったから——ですよね
すみません

城谷《しろたに》さん
回し飲みや握手するくらい余裕だとか言ってたのは
あれ 嘘《うそ》ですか？
！
や………
それは……
三上《みかみ》さんはしてないって
………っ
三上…っ!?
いつ知り合いに…
立ってください
やっと顔上げてくれましたね

……だって
黒瀬《くろせ》くんが
しばらく会わないって
言ったのは
潔癖《けっぺき》が
なかなかよくならない
俺のせいでしょう？
少しでも
前進できたら
黒瀬《くろせ》くんに連絡しようって
思ってたんですけど
上手《うま》く
いかなくて……

!?
ぎゅ……っ
……っ
く 黒瀬《くろせ》く……

……これ 嫌ですか？
すみません でも
そのままだと 城谷《しろたに》さん風邪《かぜ》ひいて 死んじゃいます
ばく ばく ばく
ばく
ばく
し 心臓が……っ
くら…っ
はっ
何だ この感覚……
俺………
俺が城谷《しろたに》さんを 突き放したのは――

………っ
ばく
………?
ばく
ばく
はぁっ
ばく
黒瀬《くろせ》くん……
あったかいです……
前も思ったんですけど黒瀬《くろせ》くんが特別体温が高いんですか?
それとも

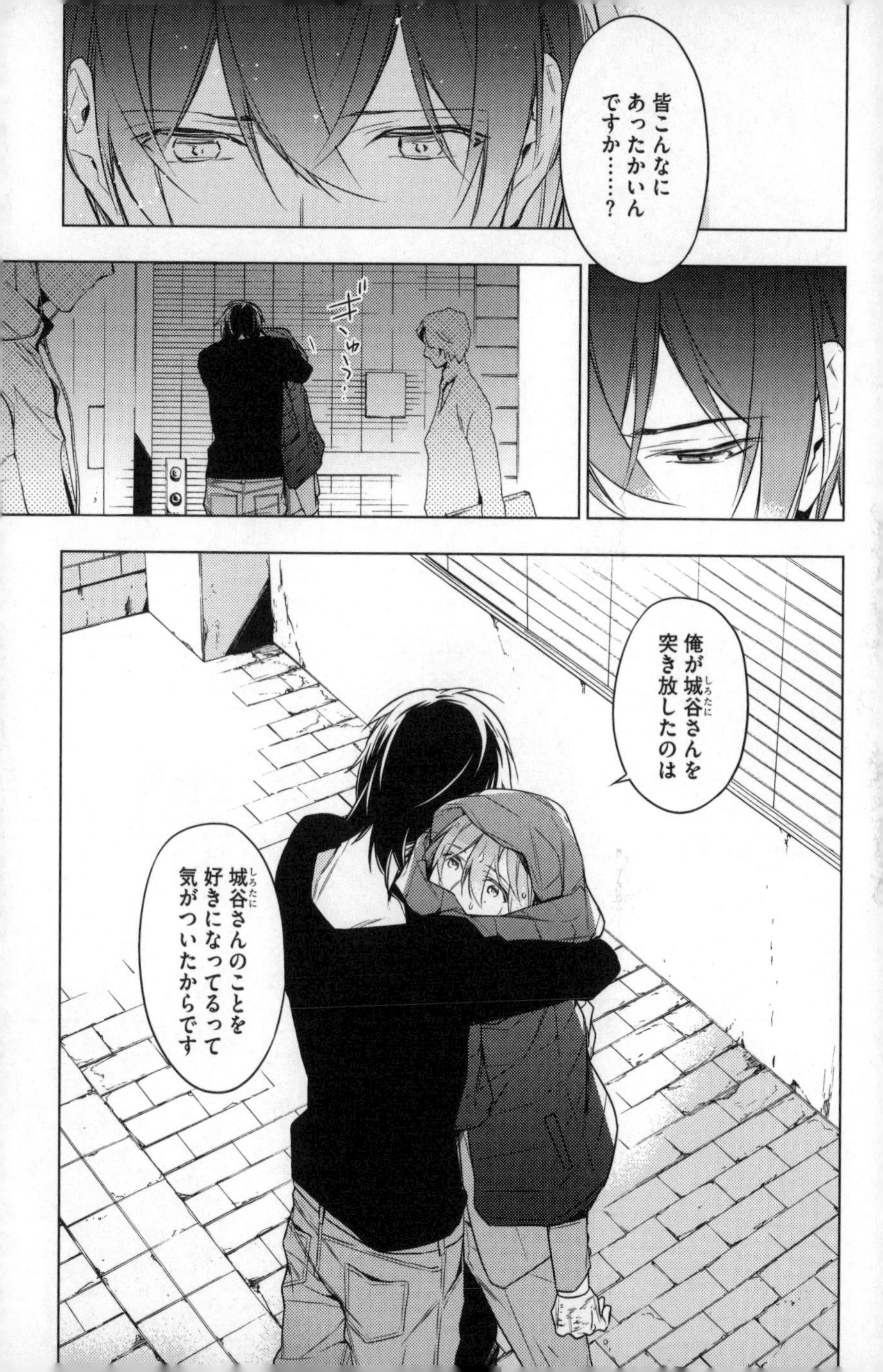
皆こんなにあったかいんですか……？
ギュゥ…
俺が城谷《しろたに》さんを突き放したのは
城谷《しろたに》さんのことを好きになってるって気がついたからです

城谷《しろたに》さんの手に触《ふ》れられた時
自分でもびっくりするくらい嬉しかったです
今も こうするのが許されてること……
ちょっと自惚《うぬぼ》れてもいいですか……？
す
すき？

…………
はい
す…
好き
好きって——
ど どういう……
…………
こんなこと言うつもりじゃなかったんですけど
そばに居るとどうしても触《さわ》りたくなるから
だから俺は城谷《しろたに》さんの近くに居るべきじゃないって思ったんです
この間キスしそうになった時
すごく動揺してたでしょ
えっ——

あ
あれ……
キスだったんですか!?
でも城谷《しろたに》さんは完全にカウンセラーとして俺のこと信用してくれてたから
そういう気持ちを利用するみたいなのはなんか嫌で……
でも結局は突き放したあと他の人と親しくしてるの見て嫉妬《しっと》してたんですけど……
ちょ
ちょ
ちょっと待ってくださいっ……
まって－
タクシー
突然すぎて……黒瀬《くろせ》くんが何を言ってるのか……

だから 近くに居たら……
また俺 城谷《しろたに》さんに触れたりするかもしれないですよ
……これを聞いた後でも まだ
俺と 会えますか？
………
し 正直
俺は 全然 解《わか》らないです…
でも

でもいきなり明日から黒瀬《くろせ》くんに会えなくなるのは
嫌です
今はその返事だけで十分です

テンカウント

count.09

城谷《しろたに》さん
ここまで電車で来たんですか?
あ――……はい
一人で?
気分が悪くなったりしたんじゃないですか?
あ、いや大丈夫です
だって
電車が一番早く着くって思ってたら
夢中で……
は
えっと
この間黒瀬《くろせ》くんとICカード作ったじゃないですか
勿体《もったい》ないし折角《せっかく》だから使おうと思って……
残金沢山あるし……

へぇ
それにしても
すごい前進ですね
でも念のため
帰りはタクシーの方が
いいですよ
本当に風邪《かぜ》ひきます
うぐぐ…
そ…それが──……
サイフを……

黒瀬《くろせ》くん
すみません……本当に今日はいろいろと……
今日は城谷《しろたに》さんの意外な一面を沢山《たくさん》見た気がします
……
ああ
そうだこれ
さっき返しそびれてました
……ICカード

ああ そうか
さっき床に落ちたから
受け取れないですか？
すみません
……
じゃあ
俺のカードケースと
交換しません？
え？
最近買ったばかり
なんでわりと綺麗
なんです
俺が城谷《しろたに》さんのを
使うので
IC CARD

1 ドアノブに触る
2 自分の私物に他人が触る
3 本屋で本を買う
4 電車のつり革を持つ
5 飲食店で食事をする
6 素手で人と握手をする
7 他人の私物を消毒せずに持ち歩く
8 飲み物のまわし飲み
9 部屋に他人が入る
10
それとも中身だけ抜いて持って帰ります？
いや
交換してください
黒瀬《くろせ》くんのカードケースと

どん
びくっ
……っ
びく
言いそびれてましたけど
今日
来てくれてありがとうございました
びく

近くに居るのが許されてる限りは
俺
城谷《しろたに》さんに好きになってもらえるように努力しますよ
いいですか？
別に
俺が断る筋合いじゃないんで……
……
それじゃあ
おやすみなさい

ガタン
はあああ……っ
へたぁ……っ
どき
き……
きもちわるい
…心臓
どき
どき
うぅ……っ
どき
どき
くっ……
黒瀬《くろせ》くん
いつも無表情で
あんなこと
考えてたのか……？
ブーブー
はっ

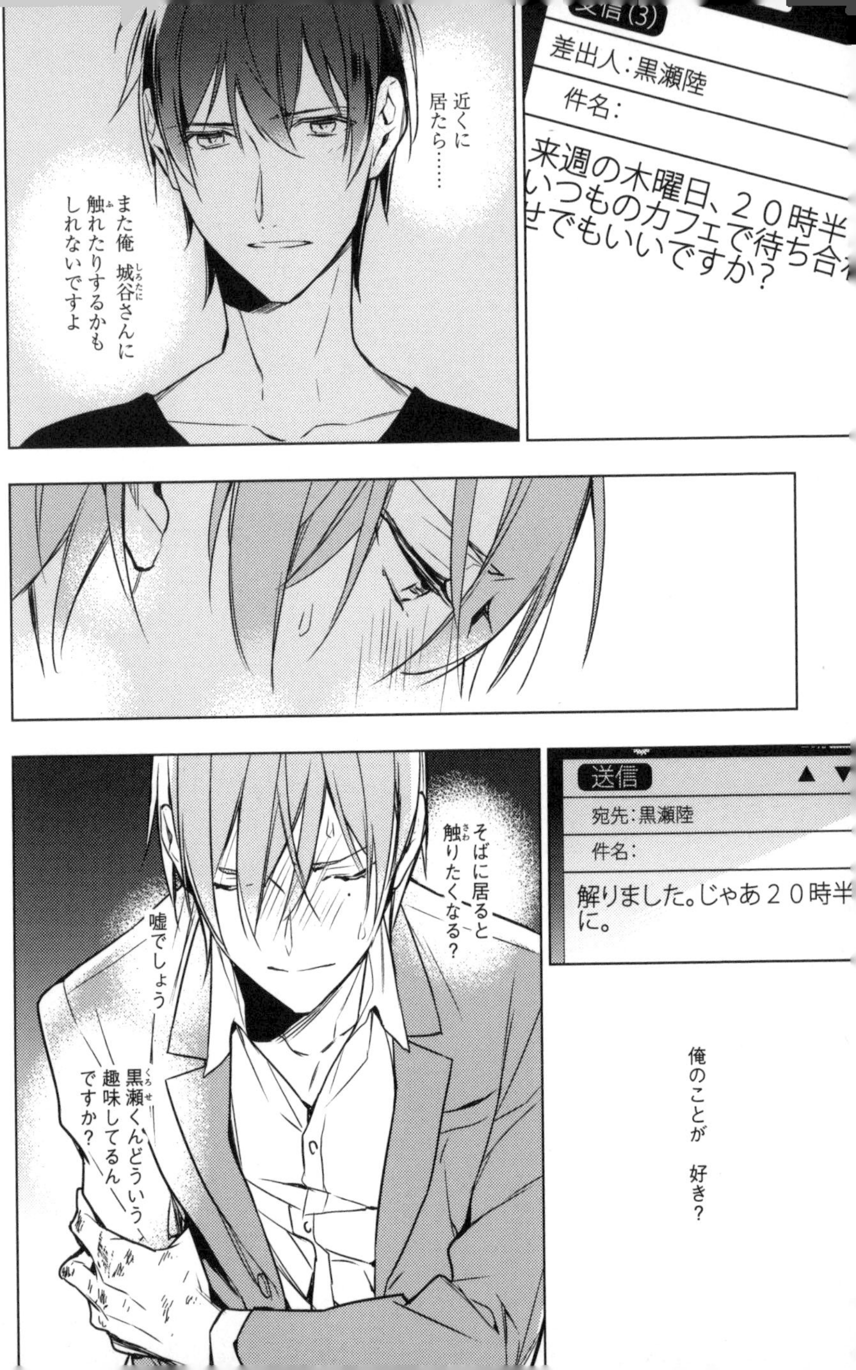
信(3)
差出人：黒瀬陸
件名：
来週の木曜日、２０時半
いつものカフェで待ち合
せでもいいですか？
近くに居たら……
また俺 城谷《しろたに》さんに触《ふ》れたりするかもしれないですよ
送信
宛先：黒瀬陸
件名：
解りました。じゃあ２０時半
に。
俺のことが 好き？
そばに居ると触《さわ》りたくなる？
嘘でしょう
黒瀬《くろせ》くんどういう趣味してるんですか？

ていうか動転してて
忘れてたけど俺 男
ですよ……!?
城谷《しろたに》さ
あいつこの間
落ちたノート拾って
やったら
すげー嫌そうな顔で
無視されたんだけど
えー
お前の手が汚そう
だったからじゃね?
うっせ
腹立つわー
ははは
違う……

違うけど
違わない
あんな風に好きなんて言われたの
初めてだ……
でも
俺の理由はあなたがいつかその10の欄を記入してくれたら教えてあげます
これが黒瀬《くろせ》くんの「理由」ですか？
よかったな。

そういや三上《みかみ》と黒瀬《くろせ》くん
一体どういう知り合いなんだ……？
もやぁ・・・
木曜日
カラーン カラーン
あれ……

黒瀬《くろせ》くん
たいてい俺より先に来てるのに珍《めずら》しいな
ブーー
ブーー
着信
黒瀬　陸
プツ
はい
黒瀬《くろせ》です
もうカフェに着いてますか?
あ
さっき着きました
すみません……
城谷《しろたに》さん
今日の約束
日曜日に延期してもらえないですか?
え?

実は今日、院長が風邪で仕事に出られなくなってしまって代わりに俺が出たんです
この医院20時までなんで待ち合わせ時間に間に合うと思ったんですけど
そうだったんですか
すみません
どうしても仕事が全部終わらなくて……
仕事が入った時にすぐ連絡すればよかったんですけど
………
今日会いたかったので
え
あ……
はは い……

着信
黒瀬
終了
この埋め合わせ
必ず次にしますから
じゃあ
プツッ…
……
島田心療内
●診療科目
心療内科・神経

んー
黒瀬《くろせ》くん
まだ居るのか？
いや
でも電気全部消えてる
っぽい？
でもブラインドは
しまってないな……
受付
非常口
ま
真っ暗な病院は
やっぱちょっと
異様な雰囲気だな…
ふふ…
怖くないけどね……
城谷《しろたに》さん？
うわ――

ドキ
ドキ
ドキ
ドキ
く くく黒瀬《くろせ》くん!?
なんで城谷《しろたに》さんがびっくりしてるんですか?
俺の方がびっくりしましたよ……
いや あのまま Uターンして帰るのも なって思って
ふぅ
ちょっと覗《のぞ》きに……
もしかして俺が会いたいって言ったからですか?
そ
そうじゃなくて……
俺 今日帰っても どうせ暇《ひま》なんで……
ここカフェから 近いから 帰るついでです

ふ
わかりました
とりあえず寒いし
中入りますか？
受付のバイトの人も
もう全員帰ってるし
…………
あ　そこもう
閉まってるんで裏から
パチ
俺もうちょっと
仕事残ってるので
そこ座ってあったまってて
ください

今コンビニで買ってきたんです
人が淹《い》れたのじゃなくて缶コーヒーならまわり洗えば飲めます？
はい
いただきます……
ここで毎日黒瀬《くろせ》くん働いてるのか

FIR
KIRON
ギッ
カラ…

はぁ
すみません
やっと終わりました……
す…

城谷《しろたに》さん
は……？
あっ
黒瀬《くろせ》くん……
終わったんですか？
ええ
ゆら・・
ちゃぷん・
おっと
ぱしッ・
あ

ふ
城谷《しろたに》さんはもう寝る時間ですか？
あったかいからうとうとしてただけですよ
ドキ
ドキ
ドキ……
ここに来てから……
や……
手袋外してくれてるんですね

そういうのすごく
たまらなくなります
え……？

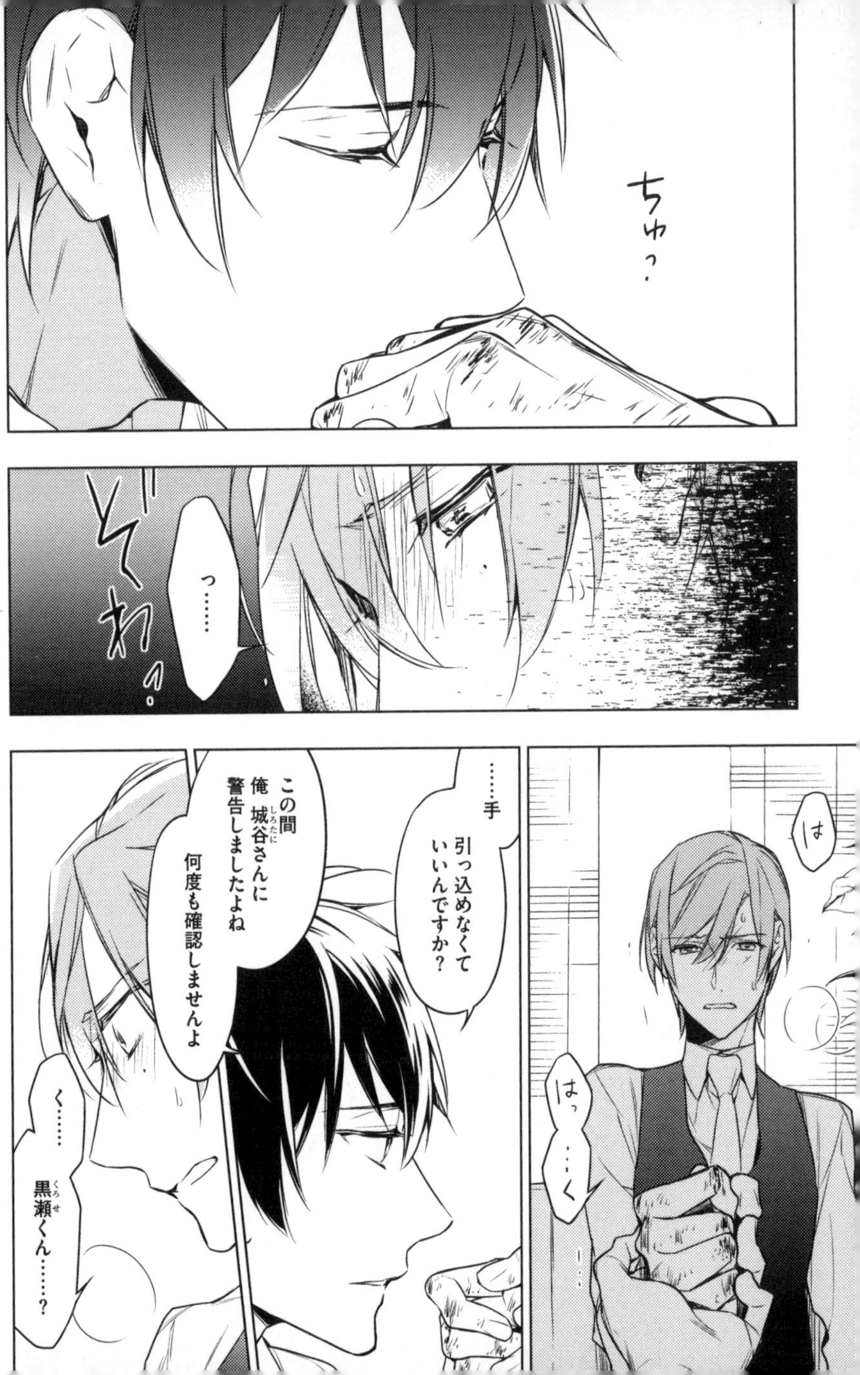
ちゅっ
ぞくわっ
っ……
は
はっ……く
……手
引っ込めなくていいんですか?
この間
俺 城谷《しろたに》さんに
警告しましたよね
何度も確認しませんよ
く……
黒瀬《くろせ》くん……?

ちゅ
くろ……
ちゅっ
びくっ
れ…
ひう……っ
びく
びく
びく
はっ
ななにこれ
はっ
はっ…
や……
気持ち悪いですか……？

き
気持ち…わるい…？
は
はっ
気持ち悪いに決まってる
こんなの
はぁ
ちゅぷ
は
あ…
っ…
…ろせくんっ…
じわ
ぞく
今
何も考えられない
くらい意識が手に集中
してるでしょ……？
ふ
ちゅっ
ずっと他人に
触れさせないように
してきた所なので
過敏になってるんです
……っ

はっ はっ…
黒瀬《くろせ》くんの舌熱い
気持ち悪い
はっ
ぎゅうっ…
ビクッ
ふあっ…
ガタン

ちょ
すり
くろ
ぐ…
ビクッ
んっ……
っ
あれ？
俺
は…
な
何で……っ？
城谷《しろたに》さん
何で勃《た》ってるん
ですか……？

テンカウント count.10

あれ？
俺
な
なんでっ……？
城谷《しろたに》さん
何で勃《た》ってるんですか……？
…………っ

キュッ‥
んっ……
ビクッ
受付
ギッ
ややめっ……ぁ
さわないで くださ……っ
ふ
きっ——
はっ‥
は
は…っ
は

気持ち悪い
は
なんて言ったら——
は…
触るなっ……!
気持ち悪いっ……

わ……
ドキ
共用のソファー
ちょ
ちょっと
待ってくださ……
城谷《しろたに》さん

空欄《くうらん》だった10番目って
性交渉ですか?
は
ちが…っ
は
違いますけど
けど…っ
俺
は
どっちにしろこんなじゃ帰れないですし
は
ここの共用のトイレで抜くのも嫌でしょ
抜っ……
すり
ビク
ひ

直《じか》に触るとびっくりしますよね……？
洋服の上からしますから
ふ
っ……
ぞくぞくぞく
くにくに
くに
はっ
ビク
あっ
ん
ビクッ
んんっ…
はっ
しゅ
ぎゅう
く
くろせくっ…
は
くち

中
ぬるぬるして
ふっ
う……
ガク
ガク
ガク
くち
き
気持ち悪い……
くち
くぅ………
中
濡《ぬ》れた音してます
ち
くち
んふ
じわ…
自分でも必要最低限しかしないのに
ふっ
こんな
他人の手で……っ
ちゅ
ぐしゅ
でも

一人でする時は
手が汚れるのが不快だ
とか
手の細菌が気になるとか
そういうことで
頭がいっぱいなのに
はっ
今は
黒瀬《くろせ》くんのことしか
考えられない
はぁ、
はっ
…ろせく…
は…

は
はっ…
…っ
は
ちゅ
グッ…
グリ…ッ
っ!?
い
いたっ
や
やっ
あ…っ
ビク
ビク
ビク

ジわ…
あ…
はっ
はぁっ
はっ
はぁ
はっ
はっ
はぁ
は…
……
ふ
気持ち悪かったですか？

～～っ……
途中で止められなくて
か 帰りますっ
ぱし
待ってください
さすがにそのままじゃ……
離してくださいっ……

すみません
怖《こわ》がらせて……
スーツは買って返します
……っ
今日は俺の新品の白衣着て帰ってください
返さなくていいので
ジャアアアア

キュ
…………
ザ
燃えるゴミ。

……城谷《しろたに》さん
さっきの
本当に嫌でしたか？
……嫌に……
決まってるじゃないですか
あんな
からかうみたいな……
……本気ですよ
あ、タクシー来ました
キィ

パ…!
俺と友達になってください
警告しましたよね
城谷《しろたに》さんのことを好きになってるって気がついたからです
何度も確認しませんよ
どれが本当なんだろう

直に触ると
びっくりします
よね……？
ふ
洋服の上から
しますから
びく
く
怖かった
は
なのに
は
は
なのになんで
さっきからずっと
躰《からだ》が収まらないんだ
ガク
ガク
ガク
ズキ
ズキ
ズキ
ズキ
……っ
ぎゅっ…

株式会社
東澤
tosawa
ジャアアア…
痛っ…

三上《みかみ》
よお
昼
久々に社食でも
行かない？
最近さっきみたいに
フロアでよく会うな
カチャ
ああ
城谷《しろたに》あれからうまく
やってるかなーって
気になって
トイレ行く時だけ
あのフロアに行くの
ふー
なんか父性が湧《わ》く
っていうかさ
この間の件は
黒瀬《くろせ》さんも
心配してたし
………
あれ以来は
まあまあ順調……

おー
よかったじゃん
……ああ
心配かけて悪いな
カチャ
ブーブー
あ
カチャ
じゃあ
俺そろそろ行く
ガタ

ありがとう 三上《みかみ》
ああ

受信(0)
差出人:黒瀬 陸
件名:
19日、前に行けなかった店に食事に行きませんか
お詫びも兼ねて奢ります
お詫びも兼ねて奢ります
この間はすみません。
…………
食事?
何言ってるんですか?
行くわけないでしょう!?
ギ――
あんなことされたのに
好きだって言えば
何しても許されるとでも――
ムカ
ムカ

こんばんは
…………
ボソッ
……こんばんは
警戒
今日
食事出来そう
ですか？
……わかりません
ぷー
あの店
うまいですよ
城谷《しろたに》さん
お酒飲めます？
……少しなら
まだ怒ってますか
怒ってますよ

じゃあ
俺はしばらく話しかけない方がいいですか？
どうして
俺はまたこの人に会いに来てしまうんだろう——
上着をお預かりします
あ、いえおかまいなく
コースじゃないんで
適当に頼んで城谷《しろたに》さんも食べられそうだったら

はい
……
トクトク
トク
トク
ひそ
飲めなければ
俺が全部飲みます
…
だ 大丈夫です

このグラス
本当に清潔なのか？
注《っ》いだボトルは……？
ちら

城谷《しろたに》さん?
ビクッ
無理しないでくださいね
や
本当に

大丈夫ですっ
さっ
何かお飲物をお持ちしましょうか？
え……
空。
あ はい……
じゃあ 同じものを
んぐんぐんぐ

さん
城谷《しろたに》さん
は…
食事
食べられます?
あー
どうだろう
ちょっとだけ
なら……
平気かなぁ……
びっくりしました
お酒結構
いけるんですね
はは……
はい

初めて
思いました
人が食事してる
姿って――――…

カタン
ちょっと失礼します
Restrooms
ザー

ザ――…
はぁ…
「人が食事してる姿って――……」
さっき 俺
何言おうとした？
ちょっとずつ
何かが
変わってきてる

キイッ
城谷《しろたに》さん？
ドキ・
ドク・
無理やり吐《は》いたりしてないですか？
ドク
ドク
コッ・・
コッ・・
駄目《だめ》ですよ
ドク・・・

ザ
キュッ…
ビク
は…
でも飲めましたね
お店で

少し
飲みすぎたのかもしれないです……
けど吐いたりはしてないですよ
手のあかぎれまたひどくなったんですね
俺のせいですね

え
そろそろ店出ましょうか
注文した料理大体食べ終わったので
落ちついたら戻ってきてください
キィ
バタン…
コッコッ
あ
あれ……？

10count by rihito takarai

1 0 c o u n t b y r i h i t o t a k a r a i

そろそろ店出ましょうか
キィ・
落ち着いたら戻ってきてください
バタン
コツ
コツ
あ
あれ……?
テンカウント
count.11
俺——
!
ぎゅ・・

テンカウント
count.11

ごちそうさまでした
いいえ
成谷さんはシャンパンだけですけど
酔《よ》い醒《さ》ますために少し歩きますか？

黒瀬《くろせ》くんと
食事に行けたら
きっと楽しいんだろうと思ってた
どうして今日はそんなにムキになるんですか？
会社の同僚みたいに男同士で二人でお酒飲んで
うまいものを食べて
やっとそれが叶《かな》ったのに
ギュ

俺
今日ずっと何考えてた?
「人が食事してる姿って——」
「官能的ですよね」
城谷《しろたに》さん 大通り出たらタクシー捕まえます?

……………
気持ち悪かったですか?
黒瀬《くろせ》くん

俺は
何度も振り回されて
何度も不愉快な思いをさせられてるはずなのに――
離れてしまえばまた前と同じ日常に戻れるのに
なぜかまたあなたに会いに来てしまうんです
……何でですかね？

……まだ酔ってますか？
あの時黒瀬《くろせ》くんは
気持ち悪くなかったんですか？
何がですか？
その

医院で――
こんな傷だらけの手な……っ
舐《な》めたりして……
気持ち悪くないですよ
何度でも言いますけど
俺は城谷《しろたに》さんのことが好きですから

俺の手であんなに反応してるの見て
震えるくらい興奮しましたよ
…………
ドクン
ドクドク
ドクドク…
ドク…
お
おさまれっ……
ギュ
ドクン
そんなこと考えてたんですか？

自分がされたことを
不快に思うより
「俺が城谷《しろたに》さんのことを不快に思ってるかも」って
考えてたんですか?
どうして?
解《わか》らない
不快感と何か別の……
俺が黒瀬《くろせ》くんに感じる
この気持ちは恋愛感情
じゃなくて
ただの依存なんじゃ
ないかって思って
これが「人を好き」って
いうことなんだと認めて
いいのかどうか……

恋愛感情も依存の一種だと俺は思うんですけど
じゃあもっと簡単に聞きます
俺に触《さわ》られるのは嫌ですか？
い
嫌です

落ち着かなくて
き
気持ち悪いし
逃げたくなる
なのに俺
今日ずっと
黒瀬《くろせ》くんに触られること
ばっかり想像してました
頭がおかしく
なったのかも
しれないです
他人に抱きしめ
られたり肌に触られる
なんてこと 考えた
だけでぞっとする
絶対
死んでも嫌なのに……

拒絶したいのか
汚されたいのか
どっちですか？
俺が
絶対に押しちゃ
いけないって
否定して
必死に
隠してるスイッチを

いつもあんたが探り当てて無理矢理押すんです
城谷《しろたに》さん あんた本当に
――……
来てください
ビクッ

え……
もっと嫌な思いさせてあげますよ

ちょ……
カーシャーン
っ
黒瀬《くろせ》くん……
俺 やっぱり 帰ります
ぱし

さっき「俺に触れられることばっかり想像してる」
って言ったじゃないですか
この間よりもっと先に進んだら
ギ…
自分がどうなるか
知りたくないですか？
い……
ちら
――っ…

他人の……
黒瀬《くろせ》くんの部屋――
わっ……
ス

な
あっ
危ない!
降ろして下さいっ
いつまでも玄関から動いてくれそうにないからですよ
ど
ビク

さっ
ひ……
嫌だ 手っ
手洗いたい……っ
洗わせてください
駄目《だめ》です

ベッド
俺の匂《にお》いしますか？
ビクッ
まわし飲み
まだクリアしてないので
キスはしないでおきますね
はっ
はっ
は

しゅっ
は
はっ
はっ
は
頭に麻酔《ますい》がかかってるみたいで
抵抗できない……っ
はっ
はっ
綺麗ですね

はっ…は
は
はぁ
ひた
びくん
や…
は
ガク
ガク
ガク
っ…

黒瀬《くろせ》くんが
触ったところから
やめ…
汚れが広がっていく
は
…はっ
侵食される
ふに
ビク
ビク
ビク
きゅううううっ
あ
ひ
あ
っ
い…っ

ぎゅう…
ま
う…く
っ
また……こんなので俺
じん
じん
じん…
ちゅ
ひ
ぶるっ
っ
ん
ドキ
っ
ぬる…

心臓が

どろどろになる

…せくん
は
ん…
う
そこも
じ
じんじんするっ……
ひっく
はぁ
本当だ……
は
う
すみません
赤くなってますね
っ
く

ずきん
ずきん…
は
ずき
ずきん…ずきん
はっ…
どうして欲しいですか……？
城谷《しろたに》さん
は…
どうしてって——
やめて欲しいに決まってる
は
はっ

ギシッ
っ……
ここ
は
はっ
ここ　痛いっ…
は
触っていいんですか？
こく
こく
こく。

ふる
………っ
カチャ
は
んっ

とろ…
あ…っ
いいく
じん
…は
も出…っ
っ…
じん
はぁっ…
は
城谷《しろたに》さん……
俺も
一緒にしていいですか?
えっ……?
ええ……?

テンカウント
count.12

あ…っ
いいく
…は
も出…っ
っ…
はぁっ…
は
城谷《しろたに》さん……
俺も
一緒にしていいですか?
えっ……?
ええ……?

ギシ！
ひゃ…
か――っ
あわ
ぬる

ちゅっ
ーーっ あ
びくびく
びくっ
っ…
っや これ
くち
じゅっ
やだ ぁ
じゅ
こわ
黒瀬《くろせ》くんのと
混じり合って
怖い…っ

ちゅく
ギシ
ずっ
あ
ろせく
ずちゅ
ん
はっ
は
よ
……よごれる
からっ
キシッ
は…
城谷《しろたに》さんが？
や
それとも
俺がですか……？
あっ
キ
ギシュ
まだいっちゃ
駄目《だめ》ですよ
ーっ
や

ギッ
いっ やだ
くちゅ
あっ
じゅっ
くろせくーいっ
いくっ いきた…
ギュッ
は…
キュッ
は…
手はなして 下さいっ
ひく
こ
壊れ…っ
ギ…
ふ
ゆる

ひ、ーーっ
ビくっビくっ
ぶる
あ
あっ
っ
ひく
ひくっ…
はっ
しゅん
しゅん
しゅん

コポポポポ
カチャッ
城谷《しろたに》さんもコーヒー……
あ
冷蔵庫に新しいミネラルウォーターありますけど
飲みます？
…………

……コーヒー
飲みます……
………
ゴト
いいですよ
そこは
俺のこと嫌いじゃ
なくても
ガチャン
俺が淹《い》れたコーヒー
飲めるかどうかは
別問題でしょ

…………
——すみません
服
家に帰るまでは
我慢してくださいね
帰ったら
燃やしてもいい
ですから
燃っ
やしませんよ……
そこまで
過激派じゃ
ないですから…

びく
ドク
ドク
ドク
城谷《しろたに》さん
俺に
依存して
くれてますか？

…………
はい

……前も思ったんですけど
城谷《しろたに》さん髪下ろすと幼くなりますね
えっ
俺みたいな年齢には普通「若くなりますね」って言いませんか?
幼いって……
そうですかね?
でも「若い」っていうか——…
俺は下ろしてる方が好きです

髪
かみ
髪上げてきます
ぱし
なんでですか
今日
仕事でもないのに——
くしゃ

あ……………
すみませ…
じん…

いえ
俺こそ
急に触って
すみません
もう少ししたら
タクシー呼びますね
UA

城谷《しろたに》さん
城谷《しろたに》さん 今日一日休みですよね?
……? はい
城谷《しろたに》さんが嫌じゃなかったら

今日このまま
買い物行きませんか？
…買い物
今日
出かけるの
つらいですか？
いやそれは
平気です
けど……
スーツ
俺が駄目にしたんで
え
あ
ああ……
あれ…

「何回も
行ったり来たり
しましょう——」
はい
……行きましょう
買い物
スーツ買って返すって
言ったの
本気
だったんですか?
UA
To be continued.

1 0 c o u n t b y r i h i t o t a k a r a i

10 count by rihito takarai

描き下ろし
黒瀬くんと城谷さんと洋服
城谷《しろたに》さん
いつも手袋は替えを持ち歩いてますけど
コートが多少雨に濡れたり飲み物がこぼれたりすることもあるじゃないですか
それは大丈夫なんですか？
嫌《いや》は嫌なんですけど……
前も言ったように「家に帰るまでは」とか「仕事だから仕方ない」って思えば一時的に我慢できることもあって――
その時我慢してても後で手を洗いすぎてしまったりするんですけど……
なるほど
洋服は帰ったら玄関でまず脱いで一旦《いったん》玄関前のかごに置いておいてそのままクリーニングに出すか
もしくはすぐ洗濯機に入れて回すかです
玄関から洗面所に直行できる間取りの部屋を探したんです
Bath
washroom
Bedroom
Living room
ああ 玄関で着替えるっていう人もいるみたいですね
時々聞きます

前はスーツは渋々クリーニングに出してたんですけど
最近は自宅で洗えるスーツもあって
へーソーナンデスネー
スゴイデスネ
うんぬんかんぬん
うんぬん
で
城谷《しろたに》さんは玄関でどこまで脱ぐんですか？
上着ですか？
それともワイシャツまでですか？
それ聞いてどうするんですか？
全裸ですか？
そんなのどうでもいいでしょう!?
いえ重要なことです
後学のために
怒ったってことは全裸で間違いないって思っていいですか？
end

描き下ろし
黒瀬くんと城谷さんと敬称
黒瀬《くろせ》先生
ごふ
げほげほ
げほ
って――
呼ばれてるんですね
医院では
※5話
ベッドに居る時
隣の部屋から
聞こえました
黒瀬先生〜
お電話です〜
ええ まあ
一応 形式的に
せんせい
って 黒瀬《くろせ》くんの方が
年上みたいで
変な感じですね
ね 黒瀬《くろせ》先生?

何ですか？
先生呼びは俺あんまり萌えないですよ
きゅんきゅん
え 敬称に燃える燃えないがあるんですか？
黒瀬《くろせ》さん
黒瀬様《くろせさま》
黒瀬殿《くろせどの》
黒瀬《くろせ》たん
黒瀬《くろせ》っち
黒瀬っちは……
黒瀬《くろせ》
あ、今ちょっと萌えました
高飛車《たかびしゃ》で不遜《ふそん》な年上を泣かすっていう設定を受信しました
せってい？

end

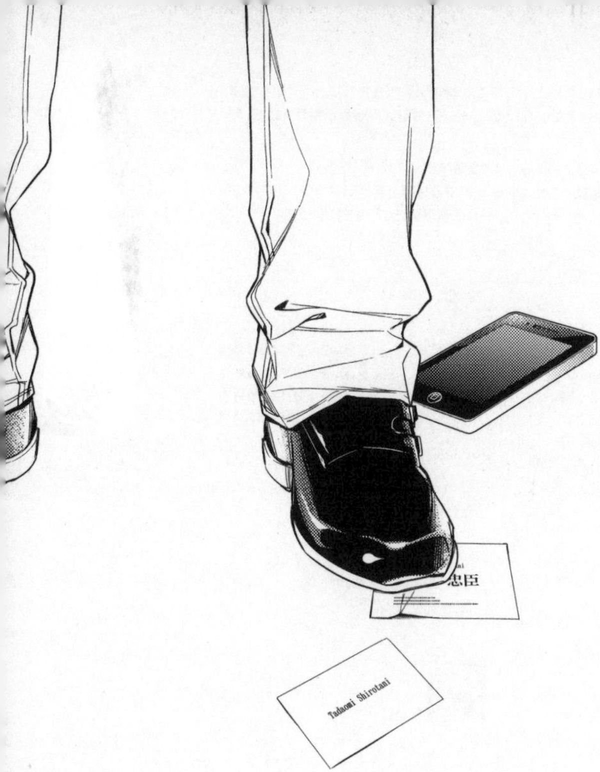

2巻は1巻と別の意味でドキドキしている私です。

Sの人はMの人が耐えられるか耐えられないかギリギリのところを
見極めつつ段階的に調教していくという事らしいのですが…
この2人もちょっとずつ進んでいきますので
また次巻も、城谷と黒瀬をどうぞよろしくお願いします。
ご覧くださりありがとうございました。

宝井理人

いつもディアプラス・コミックスをご愛読いただきありがとうございます。
「テンカウント②」はいかがでしたか？ ぜひ、感想をお寄せください。

……あてさき……

〒113-0024 東京都文京区西片2-19-18 新書館
〈編集部へのご意見・ご感想〉ディアプラス編集部「テンカウント②」係
〈ファンレター〉ディアプラス編集部気付 宝井理人先生

初出	
テンカウント count.07	Dear＋2014年3月号
テンカウント count.08	Dear＋2014年4月号
テンカウント count.09	Dear＋2014年5月号
テンカウント count.10	Dear＋2014年6月号
テンカウント count.11	Dear＋2014年7月号
テンカウント count.12	Dear＋2014年8月号
黒瀬くんと城谷さんと洋服	描き下ろし
黒瀬くんと城谷さんと敬称	描き下ろし

ディアプラス DEAR+ COMICS 396 コミックス

テンカウント②

初版発行：2014年10月15日
第 10 刷：2015年 6 月25日

著　者　宝井理人［たからい・りひと］

発行所　株式会社 新書館
［編集］〒113-0024 東京都文京区西片2-19-18
電話 (03) 3811-2631
［営業］〒174-0043 東京都板橋区坂下1-22-14
電話 (03) 5970-3840 FAX (03) 5970-3847
［URL］http://www.shinshokan.co.jp/

印刷・製本　図書印刷株式会社

装　丁　楠目智宏＋永井さやか（arcoinc）

ISBN978-4-403-66440-3 Printed in Japan